小畫家的天空系列

靜物畫

Montserrat Llongueras
Cristina Picazo 著
Anna Sadurní

本局編輯部 譯

三民書局

國家圖書館出版品預行編目資料

小普羅藝術叢書. 小畫家的天空系列／Montserrat
Llongueras, Cristina Picazo, Anna Sadurní著;三民
書局編輯部譯. －－初版一刷. －－臺北市；三
民，民91
　　冊；　公分
ISBN 957-14-2871-X (一套:精裝)
1.美術-教學法　　2.繪畫-西洋-技法

523.37　　　　　　　　　　　　　　　87005794

© 靜　物　畫

著作人	Montserrat Llongueras
	Cristina Picazo
	Anna Sadurní
譯　者	三民書局編輯部
發行人	劉振強
著作財產權人	三民書局股份有限公司
	臺北市復興北路三八六號
發行所	三民書局股份有限公司
	地址／臺北市復興北路三八六號
	電話／二五○○六六○○
	郵撥／○○○九九九八──五號
印刷所	三民書局股份有限公司
門市部	復北店／臺北市復興北路三八六號
	重南店／臺北市重慶南路一段六十一號
初版一刷	中華民國八十七年八月
初版二刷	中華民國九十一年三月
編　號	S 94075
定　價	新臺幣參佰伍拾元整

行政院新聞局登記證局版臺業字第○二○○號

有著作權‧不准侵害

ISBN 957-14-2858-2　 (精裝)

網路書店位址：http://www.sanmin.com.tw

目次

帶星號*的字在第48頁
的詞彙中有說明

3

從你的觀點看到的物體

在這本書裡，我們要告訴你表現「靜物」這個主題的畫畫技巧，幫助你捕捉它們的特質以及在空間裡的位置安排。

當我們在構思一幅圖的時候，首先要考慮到每個東西在紙上出現的位置，這個最初的安排就叫做構圖*。構圖的時候，物體的外形、大小，甚至顏色都會隨著觀看點的不同而改變喲！這裡有三種觀看點：從空中往下看、從地面往上看、從前面看。

▲ 從空中往下看。當畫出來的物體位置比你的眼睛還低的時候，你便是在使用這種觀看點。畫裡物體的上部會比下部大，地面（在物體下方）看起來也會比背景（在物體後方）重要。

▶ 從地面往上看。想像自己只有螞蟻一般的大小。從這個觀看點，在底部的物體看起來會比在頂部的大一些；而且背景看起來也會比地面明顯。

◀ 從前面看。就是你的眼睛和物體一樣高時看到的東西。你可以調整這張畫裡每個部分的相對大小，來產生遠近的感覺。距離你比較近的物體看起來會比較大，可是距離你比較遠的就會比較小喔！

我們需要考慮的第一件事情就是這張畫外觀的大小。

我們用的是一張很大的紙還是小張的紙呢？是方的、圓的，還是其它的形狀呢？不管怎麼樣，我們都要儘可能試著把所有的空間填滿喲！

直的版面　　　　　　橫的版面　　　　　　方形的版面

▲ 在取景框（框架）的幫助下，構圖會變得容易一些些呢！我們也可以輕鬆地來做一個取景框。剪下紙板的左上、右下或是左下、右上兩個直角。用它們來做成主導你這張畫、可以調整的取景框。用這兩個直角來找出你最喜歡的版面。

▼ 並不是所有的物體都要全部畫出來喔！在構圖的時候，我們可以強調自己喜歡的部分，刪掉其它的部分。

當所有我們想要放在圖裡的東西都有了以後，我們便可以說都「到齊」了耶！

如何開始呢？

開 始的好方法就是把物體的安排和基本幾何圖形建立關聯。

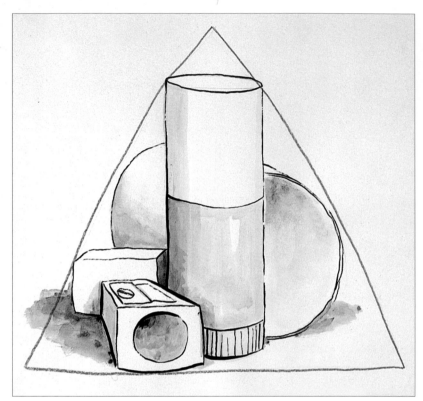

◀ 這個構圖是由三角形發展而來的，我們可以看到膠水瓶是所有的東西當中最高的。

▶ 當物體都一樣高的時候，你的構圖就可能是方形的。

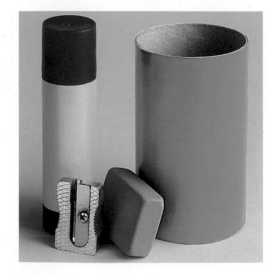

▼ 如果要長方形的構圖，那就把最長的物體橫擺。

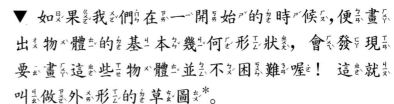

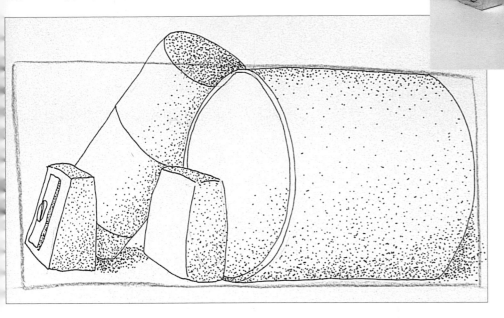

▼ 如果我們在一開始的時候，便畫出物體的基本幾何形狀，會發現要畫這些物體並不困難喔！ 這就叫做外形的草圖*。

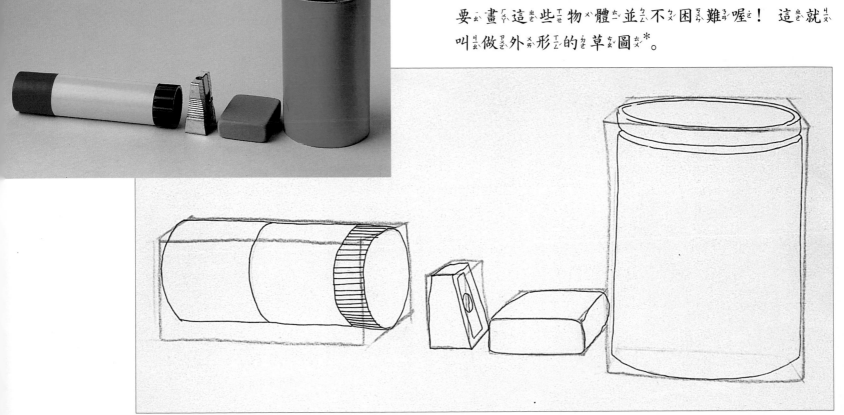

在砂紙上的一號方程式賽車

在顏色和顏色之間留下細縫。

砂紙的黑色會把這些顏色區隔開來。

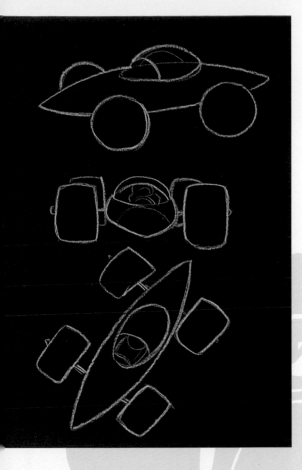

1 先畫草圖。在這裡，我們已經用不同的角度：從側面看、從前面看、從上面往下看，把賽車畫出來了。

2 在這裡，我們需要一張黑色的砂紙。

實用的小祕訣

我們可以用不同粗細和各種不同的黑色砂紙來做個實驗。砂紙越粗糙，畫好以後的紋路*就會越明顯喔！

3 用白色的粉筆來構圖。

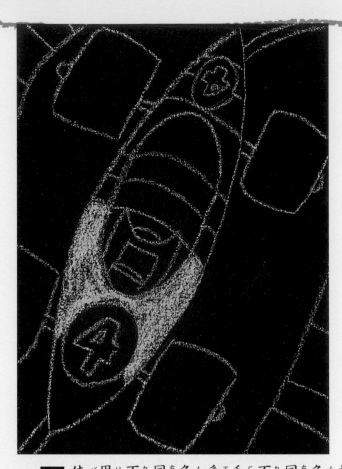

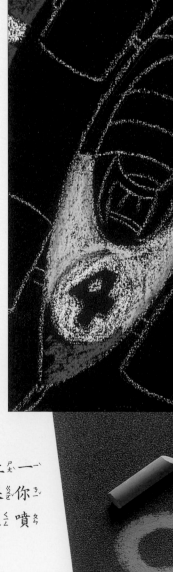

4 然後用不同顏色的粉筆來加上細部。

5 使用不同色系和不同色調*的顏色，例如淺黃色、暗黃色，或是淺橘色、暗橘色，來使物體產生三度空間的效果（或立體感*）。我們先塗比較淺的顏色，再用比較暗的顏色來塗陰影部分*。

6 畫好以後，塗上一層保護膠*，如果你沒有保護膠，輕輕噴上髮膠也可以。

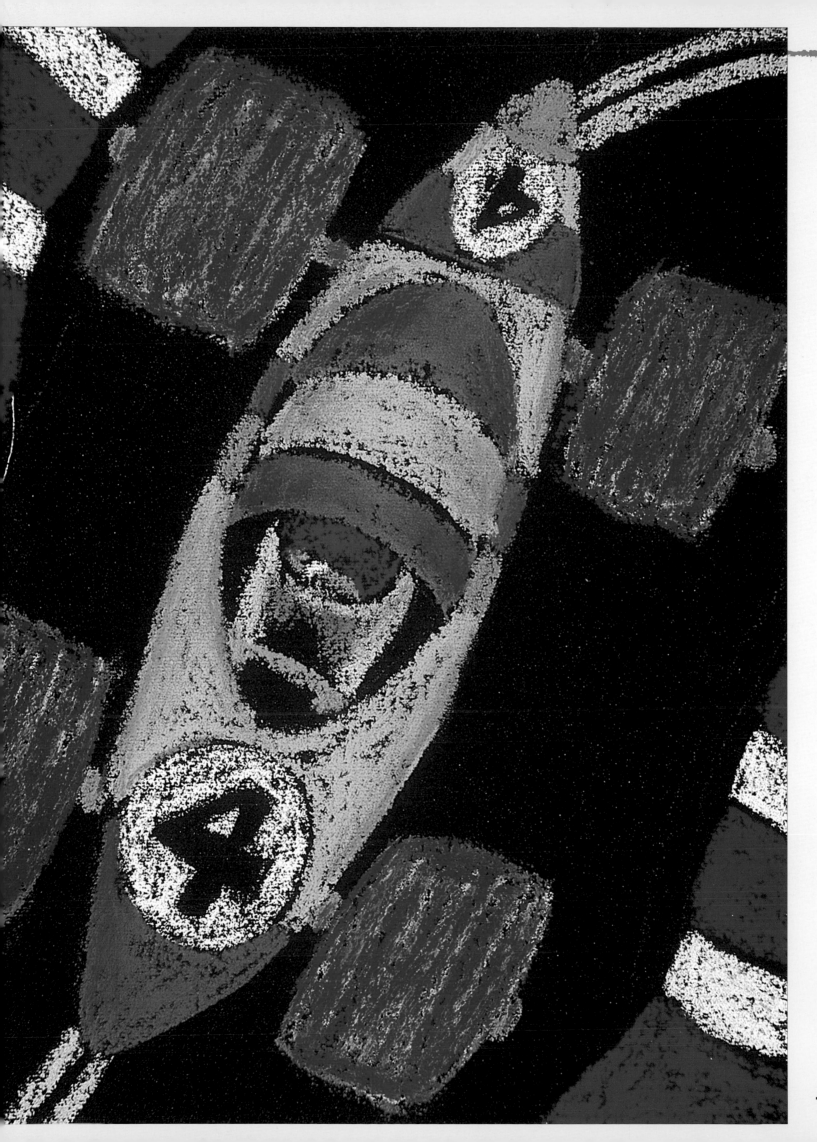

用麥克筆畫出桌上物體的明暗*

這個技巧會使各種明暗產生對比的效果喔!

為了達到濃淡*的效果,使用粗的麥克筆是最好的。

1 我ㄨㄛˇ們ㄇㄣ˙先ㄒㄧㄢ畫ㄏㄨㄚˋ物ㄨˋ體ㄊㄧˇ外ㄨㄞˋ形ㄒㄧㄥˊ的ㄉㄜ˙草ㄘㄠˇ圖ㄊㄨˊ。

2 然ㄖㄢˊ後ㄏㄡˋ決ㄐㄩㄝˊ定ㄉㄧㄥˋ構ㄍㄡˋ圖ㄊㄨˊ和ㄏㄢˋ版ㄅㄢˇ面ㄇㄧㄢˋ。在ㄗㄞˋ這ㄓㄜˋ裡ㄌㄧˇ的ㄉㄜ˙安ㄢ排ㄆㄞˊ是ㄕˋ以ㄧˇ一三ㄙㄢ角ㄐㄧㄠˇ形ㄒㄧㄥˊ作ㄗㄨㄛˋ為ㄨㄟˊ基ㄐㄧ礎ㄔㄨˇ。

實ㄕˊ用ㄩㄥˋ的ㄉㄜ˙小ㄒㄧㄠˇ祕ㄇㄧˋ訣ㄐㄩㄝˊ

我ㄨㄛˇ們ㄇㄣ˙可ㄎㄜˇ以ㄧˇ用ㄩㄥˋ一ㄧ一些ㄒㄧㄝ酒ㄐㄧㄡˇ精ㄐㄧㄥ來ㄌㄞˊ稀ㄒㄧ釋ㄕˋ * 不ㄅㄨˋ溶ㄖㄨㄥˊ於ㄩˊ水ㄕㄨㄟˇ的ㄉㄜ˙麥ㄇㄞˋ克ㄎㄜˋ筆ㄅㄧˇ墨ㄇㄛˋ水ㄕㄨㄟˇ，而ㄦˊ且ㄑㄧㄝˇ使ㄕˇ它ㄊㄚ在ㄗㄞˋ紙ㄓˇ上ㄕㄤˋ擴ㄎㄨㄛˋ散ㄙㄢˋ開ㄎㄞ來ㄌㄞˊ。請ㄑㄧㄥˇ大ㄉㄚˋ人ㄖㄣˊ用ㄩㄥˋ小ㄒㄧㄠˇ瓶ㄆㄧㄥˊ子ㄗˇ裝ㄓㄨㄤ一ㄧ些ㄒㄧㄝ酒ㄐㄧㄡˇ精ㄐㄧㄥ給ㄍㄟˇ你ㄋㄧˇ，記ㄐㄧˋ得ㄉㄜ˙瓶ㄆㄧㄥˊ蓋ㄍㄞˋ要ㄧㄠˋ蓋ㄍㄞˋ緊ㄐㄧㄣˇ喔ㄛ˙！

3 用ㄩㄥˋ麥ㄇㄞˋ克ㄎㄜˋ筆ㄅㄧˇ著ㄓㄨˋ色ㄙㄜˋ。為ㄨㄟˋ了ㄌㄜ˙得ㄉㄜˊ到ㄉㄠˋ濃ㄋㄨㄥˊ淡ㄉㄢˋ的ㄉㄜ˙效ㄒㄧㄠˋ果ㄍㄨㄛˇ，暗ㄢˋ色ㄙㄜˋ調ㄉㄧㄠˋ的ㄉㄜ˙顏ㄧㄢˊ色ㄙㄜˋ要ㄧㄠˋ塗ㄊㄨˊ在ㄗㄞˋ淺ㄑㄧㄢˇ色ㄙㄜˋ調ㄉㄧㄠˋ的ㄉㄜ˙顏ㄧㄢˊ色ㄙㄜˋ上ㄕㄤˋ面ㄇㄧㄢˋ喔ㄛ˙！

4 水性麥克筆可以用水和畫筆稀釋而且擴散開來。我們把畫裡的每個部分都灑上一些些水，免得物體之間的顏色混合在一起了。

5 當我們用水刷開每個顏色的時候，都等前一個顏色乾了以後，再繼續塗下一個顏色，這樣子所有的顏色就都能保持乾淨了。

6 如果我們沒有等前一個顏色變乾，就繼續塗下一個顏色，這樣子顏色便會混合在一起，產生新的色調喲！

7 最後，為我們自己的構圖設計一個場景吧！等乾以後，用深色麥克筆把這張畫的線條描出來。

木板上的海景

畫深色背景時，陰影比較淺的地方，顏色看起來會比較明亮喔！

我們用幾滴松節油來軟化蠟筆。

用一些松節油*來做出比較淡的顏色。

直接把蠟筆塗在木板上木板的紋路會透過塗上的顏色顯露出來喔！

1 畫出物體外形的草圖來找出最適當的比例*。

2 想一想要怎麼構圖呢？

3 然後加上細部。

4 用一張黑色的複寫紙把圖轉印到木板上，然後用蠟筆把圖形著色。我們把暗色調的顏色塗在淺色調的顏色上，來創造出立體的感覺。

5 我們用畫筆或是布的一端蘸一些松節油，稀釋木板上的蠟，來達到色調濃淡的效果。

6 用松節油從黑色的蠟筆稀釋一些些蠟，然後，用蘸了蠟的畫筆強調各個部分的輪廓*。完成了以後，我們可以塗上一層加水稀釋過的萬能白膠，來固定畫系。

用孔板*和牙刷畫出的三輪車

用孔板可以
很快完成一
系列做生日
卡、邀請卡和
許許多多類似
卡片的彩色圖
案喔！

我們可以
使用各種不同
色調的相同顏色，
來產生更豐富
的效果。

畫材和技巧

如果在這張畫裡，你只打算用一張紙板來做所有部分的孔板，那麼你在著色的時候，便要把不打算著色的地方都遮蓋起來喔！

2 把你的圖描在紙板上，然後依照形狀剪下來，做成各個物體的孔板。記得喲！要把準備塗不同顏色的部分都分開來。

1 繪圖並安排構圖。

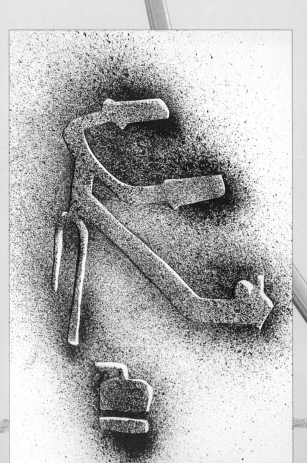

3 把孔板放在一張紙上。拿牙刷蘸上用水稀釋過的蛋彩*顏料，然後，用食指滑過牙刷的刷毛，把顏色噴灑在紙上孔板沒有遮蓋的地方。

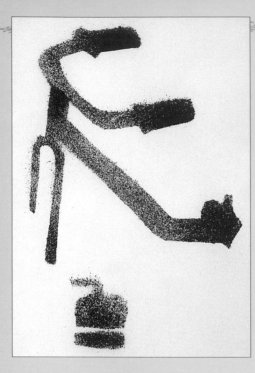

4 用水清潔刷子，再蘸上比較暗色調的顏料。然後，重複噴灑的步驟，把顏料噴灑在陰影部分。這樣子，物體便產生了立體的感覺呢！

5 等顏料乾了以後，把孔板放在這個物體下一個要著色的地方。把孔板對準紙上已經有的圖案，然後用牙刷蘸上新的顏色，再一次，把顏料噴灑在紙上。

6 為了要凸顯三輪車的坐墊，我們可以在上面畫出一些小圓點喔！

7 完成孔板印刷的部分以後，再用調得很稀的水彩給背景加上一些趣味吧！

一幅餐廳的拼貼畫*

你曾經對畫出來的圖失望嗎？別急著丟掉喲！或許能用它來創造一幅拼貼畫呢！

為了清楚區分不同的物體，所以我們使用在設計上有強烈對比的材料。

在紙張或是布上塗膠水時，為了避免塗得太多，最好從中間往邊緣塗喔！

把同樣的材料貼在不同的位置上，可以造出深度的錯覺呢！

1 先畫出物體外形的草圖。

2 繪圖並安排構圖。

畫材和技巧

要怎麼樣來確定我們剪下來的材料會完全和畫的大小一樣呢？我們先在複寫紙上畫出每個部分的輪廓，然後，在剪材料的時候，便用這個畫在紙上的輪廓來當模型。

3 完成繪圖的步驟。我們可以尋找一些圖案有趣的材料，例如破布、不要的紙板、報紙、雜誌、毛線等等。

5 在ㄗㄞˋ我ㄨㄛˇ們ㄇㄣ˙不ㄅㄨˋ打ㄉㄚˇ算ㄙㄨㄢˋ覆ㄈㄨˋ蓋ㄍㄞˋ材ㄘㄞˊ料ㄌㄧㄠˋ的ㄉㄜ˙地ㄉㄧˋ方ㄈㄤ，保ㄅㄠˇ留ㄌㄧㄡˊ原ㄩㄢˊ來ㄌㄞˊ的ㄉㄜ˙顏ㄧㄢˊ色ㄙㄜˋ。

4 選ㄒㄩㄢˇ出ㄔㄨ和ㄏㄢˋ你ㄋㄧˇ的ㄉㄜ˙構ㄍㄡˋ圖ㄊㄨˊ比ㄅㄧˇ較ㄐㄧㄠˋ合ㄏㄜˊ適ㄕˋ的ㄉㄜ˙材ㄘㄞˊ料ㄌㄧㄠˋ。在ㄗㄞˋ這ㄓㄜˋ裡ㄌㄧˇ，我ㄨㄛˇ們ㄇㄣ˙選ㄒㄩㄢˇ了ㄌㄜ˙有ㄧㄡˇ格ㄍㄜˊ子ㄗ˙的ㄉㄜ˙碎ㄙㄨㄟˋ布ㄅㄨˋ來ㄌㄞˊ當ㄉㄤ作ㄗㄨㄛˋ桌ㄓㄨㄛ巾ㄐㄧㄣ。最ㄗㄨㄟˋ後ㄏㄡˋ，用ㄩㄥˋ萬ㄨㄢˋ能ㄋㄥˊ白ㄅㄞˊ膠ㄐㄧㄠ把ㄅㄚˇ剪ㄐㄧㄢˇ下ㄒㄧㄚˋ來ㄌㄞˊ的ㄉㄜ˙布ㄅㄨˋ貼ㄊㄧㄝ到ㄉㄠˋ圖ㄊㄨˊ畫ㄏㄨㄚˋ上ㄕㄤˋ。

6 一ㄧ個ㄍㄜˋ個ㄍㄜˋ把ㄅㄚˇ拼ㄆㄧㄣ貼ㄊㄧㄝ畫ㄏㄨㄚˋ的ㄉㄜ˙其ㄑㄧˊ它ㄊㄚ部ㄅㄨˋ分ㄈㄣ貼ㄊㄧㄝ上ㄕㄤˋ。變ㄅㄧㄢˋ換ㄏㄨㄢˋ不ㄅㄨˋ同ㄊㄨㄥˊ的ㄉㄜ˙紋ㄨㄣˊ路ㄌㄨˋ，你ㄋㄧˇ會ㄏㄨㄟˋ發ㄈㄚ現ㄒㄧㄢˋ既ㄐㄧˋ驚ㄐㄧㄥ奇ㄑㄧˊ又ㄧㄡˋ有ㄧㄡˇ趣ㄑㄩˋ的ㄉㄜ˙效ㄒㄧㄠˋ果ㄍㄨㄛˇ喲ㄧㄛ˙！例ㄌㄧˋ如ㄖㄨˊ，碎ㄙㄨㄟˋ布ㄅㄨˋ也ㄧㄝˇ可ㄎㄜˇ以ㄧˇ用ㄩㄥˋ在ㄗㄞˋ瓷ㄘˊ盤ㄆㄢˊ上ㄕㄤˋ耶ㄧㄝˊ！

7 最ㄗㄨㄟˋ後ㄏㄡˋ，我ㄨㄛˇ們ㄇㄣ˙再ㄗㄞˋ用ㄩㄥˋ一ㄧ支ㄓ粗ㄘㄨ的ㄉㄜ˙麥ㄇㄞˋ克ㄎㄜˋ筆ㄅㄧˇ來ㄌㄞˊ描ㄇㄧㄠˊ出ㄔㄨ某ㄇㄡˇ些ㄒㄧㄝ部ㄅㄨˋ分ㄈㄣ的ㄉㄜ˙線ㄒㄧㄢˋ條ㄊㄧㄠˊ，並ㄅㄧㄥˋ加ㄐㄧㄚ上ㄕㄤˋ幾ㄐㄧˇ筆ㄅㄧˇ最ㄗㄨㄟˋ後ㄏㄡˋ的ㄉㄜ˙潤ㄖㄨㄣˋ飾ㄕˋ。

金銀色紙上的交響樂

金屬物體是這個技巧的理想主題。金銀色紙可以捕捉金屬反光的效果。

這張畫要用黑色來做背景，但是也可以用任何的暗色來表現這個技巧。

畫材和技巧

金銀色紙在任何美術用品社都可以買得到。但是，我們也可以利用廚房用的鋁箔紙和金色的包裝紙。

1 畫好物體的外形以後，我們安排物體的位置來完成構圖。

2 在這裡，我們把物體安排在方形的版面，並且把圖像擺在這張紙的中央。

3 用淺色的複寫紙把圖轉印到黑色的背景上，也可以用黃色的蠟筆把圖的背面塗滿，當作複寫紙；然後，用鉛筆沿著圖上的線條，把圖轉印到黑色的表面上。

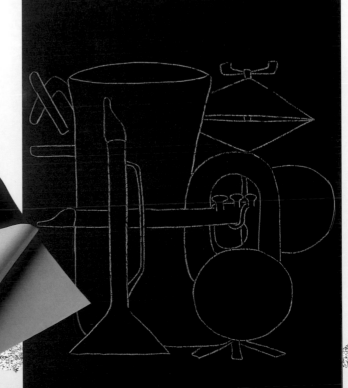

4 用加水稀釋過的白膠，在整個表面塗上一層，並等它乾。

5 然後，再上一層膠，但是只塗在我們打算貼上銀紙的部分。在膠半乾的時候，輕輕地把紙壓按到表面上，直到整張紙都貼牢了。

6 貼上銀色色紙以後，我們重複同樣的步驟，把金色色紙貼上。

7 最後，我們用銀色麥克筆畫出物體的輪廓來，再用黑色麥克筆製造出一些反光的效果。

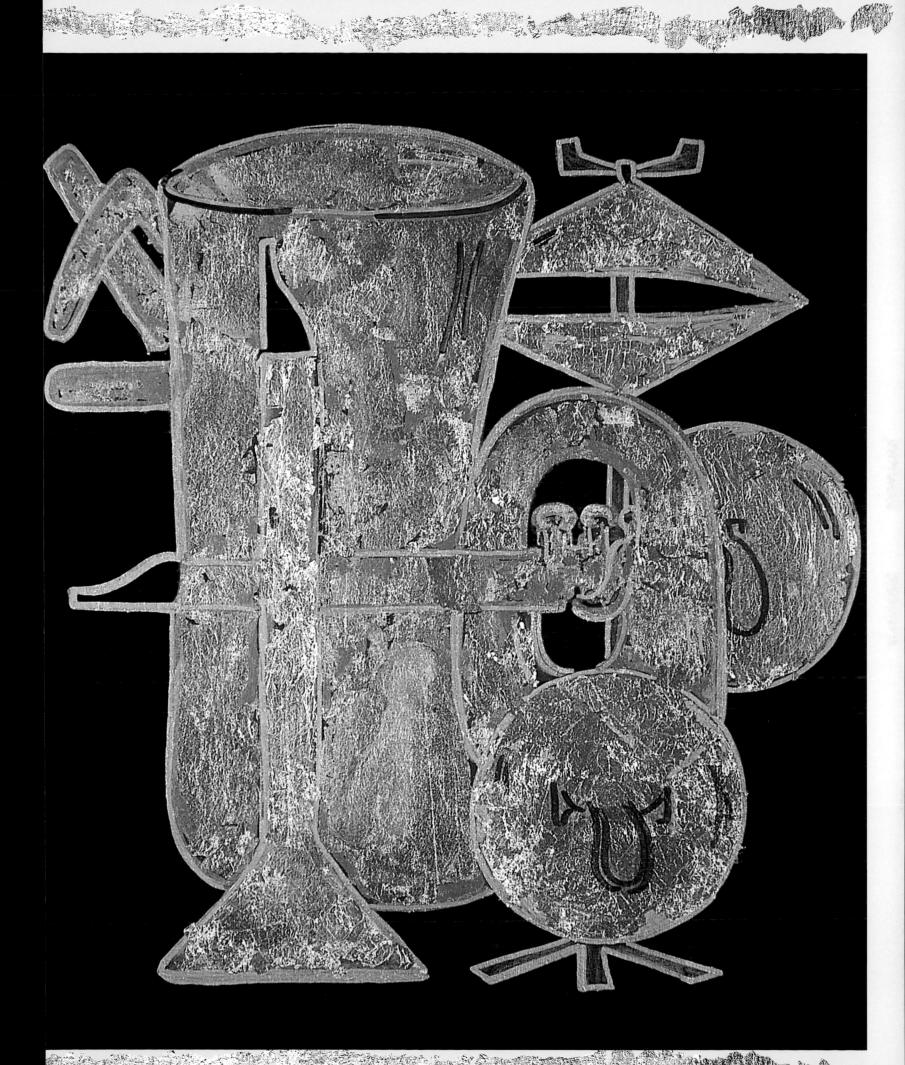

成一直線有紋路的溜冰鞋

用單一顏色和花樣畫成的背景，可以凸顯出整張畫喔！

不同的紋路可以增加這張畫的趣味和豐富性。

相關的部分用同一個顏色和紋路來畫，使它們緊緊地結合在一起。

避免畫小面積部分。因為在以紋路花樣為主題的畫中，這個部分可並不容易著色喲！

實用的小祕訣

畫的豐富性和紋路花樣的多元性是相關的。我們可以找些有不同紋路的花樣，試試看畫出來的效果。

1 和前面一樣，我們先把物體的外形畫出來。

2 加上填滿細部的線條。

3 在最後的定稿上安排構圖。記得要畫出每個部分的輪廓喔！因為每個部分我們都將用不同的紋路花樣來畫。

4 用色鉛筆在另外一張畫紙上，塗過不同紋路的東西，例如草帽、瓦楞紙、梳子等等，來試試看各種紋路的花樣。

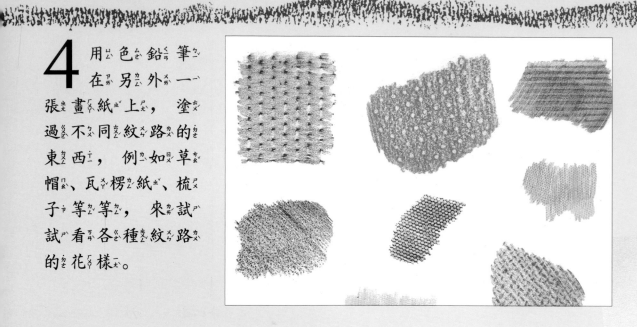

5 選好每個圖形的顏色和部分以後，我們把紙放在有紋路的物體上，用選好的顏色把這個部分塗滿。試試看在畫中所有相似的部分使用相同的紋路吧！

6 你的畫現在一定有很多的顏色和紋路了吧！接下來，我們用單一顏色來畫背景。

7 用另外一種顏色描出各個部分的輪廓來，做為潤飾。

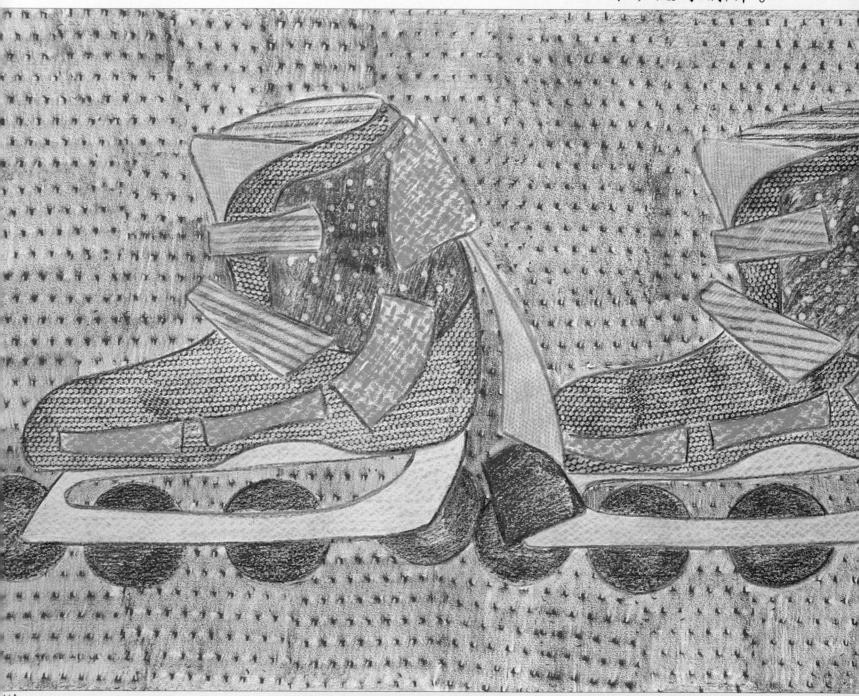

用蠟筆和水彩畫成的冰淇淋和蘇打汽水

蠟筆是用來表現我們設計的圖案。

趁著畫紙表面還溼溼的,把淺色調的顏色緊鄰著暗色調的顏色塗上,便可以產生濃淡的效果了。

用蠟筆描出來的物體輪廓不會和水彩混在一起。

畫材和技巧

用削鉛筆的圓頭小刀把蠟筆削尖,這樣子畫出來的線條才會乾淨、清楚喲!

1

畫出物體外形的草圖。

2

安排構圖。為了產生連續的感覺，我們需要切斷某些物體的部分。用黃色的蠟筆，輕輕也描出圖上的線條來。

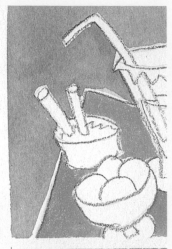

3 選擇你喜歡的水彩顏料來塗這兩個面積最大的部分：桌巾和背景。

4 用白色蠟筆來裝飾物體和背景。因為紙張也是白色的，蠟筆的線條很難看得到,所以在畫的時候，要調整圖畫的位置，好讓你能藉著燈光的反射，看到畫出來的線條。在右邊這張圖，為了

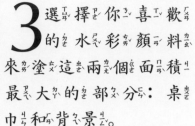

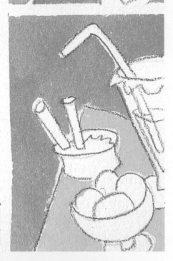

讓你看到線條，我們用黃色的蠟筆來畫。

5 把桌巾和背景塗上你選出來的顏色。這時候，我們用白色蠟筆畫的圖案便會顯現出來喲！這是因為蠟筆阻礙了紙張吸收顏料的水分。

6 最後，我們用鮮明的顏色把其它部分著色。

用棉紙做成的玩具

利用棉紙的透明度，把不同顏色的棉紙疊在一起，來創造出新的顏色。

只有這個物體使用三度空間的技巧，背景的面紙不做任何立體的處理。

為了創造出三度空間的效果，我們把表示正面的細長條用一個方向貼好，表示側邊的細長條就用不同的方向。

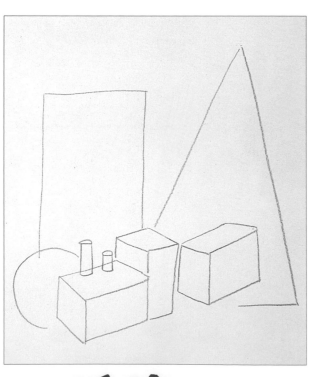

1 畫出每個物體的外形，並找出它們之間的比例關係。

2 然後加上細部。

畫ㄏㄨㄚˋ材ㄘㄞˊ和ㄏㄜˊ技ㄐㄧˋ巧ㄑㄧㄠˇ

當ㄉㄤ稀ㄒㄧ釋ㄕˋ過ㄍㄨㄛˋ的ㄉㄜ萬ㄨㄢˋ能ㄋㄥˊ
白ㄅㄞˊ膠ㄐㄧㄠ塗ㄊㄨˊ過ㄍㄨㄛˋ棉ㄇㄧㄢˊ紙ㄓˇ的ㄉㄜ
時ㄕˊ候ㄏㄡˋ，棉ㄇㄧㄢˊ紙ㄓˇ的ㄉㄜ顏ㄧㄢˊ
色ㄙㄜˋ便ㄅㄧㄢˋ會ㄏㄨㄟˋ變ㄅㄧㄢˋ深ㄕㄣ了ㄉㄜ呢ㄋㄜ˙！

3 用ㄩㄥˋ畫ㄏㄨㄚˋ筆ㄅㄧˇ在ㄗㄞˋ背ㄅㄟˋ
景ㄐㄧㄥˇ刷ㄕㄨㄚ上ㄕㄤˋ一ㄧ層ㄘㄥˊ
萬ㄨㄢˋ能ㄋㄥˊ白ㄅㄞˊ膠ㄐㄧㄠ，然ㄖㄢˊ後ㄏㄡˋ，
用ㄩㄥˋ一ㄧ塊ㄎㄨㄞˋ塊ㄎㄨㄞˋ的ㄉㄜ棉ㄇㄧㄢˊ紙ㄓˇ
覆ㄈㄨˋ蓋ㄍㄞˋ上ㄕㄤˋ去ㄑㄩˋ。我ㄨㄛˇ們ㄇㄣ˙可ㄎㄜˇ
以ㄧˇ在ㄗㄞˋ第ㄉㄧˋ一ㄧ層ㄘㄥˊ棉ㄇㄧㄢˊ紙ㄓˇ
上ㄕㄤˋ再ㄗㄞˋ加ㄐㄧㄚ上ㄕㄤˋ不ㄅㄨˋ同ㄊㄨㄥˊ顏ㄧㄢˊ
色ㄙㄜˋ的ㄉㄜ棉ㄇㄧㄢˊ紙ㄓˇ。

4 現在，我們來處理玩具的部分。先貼你打算只做平面處理的地方，例如洋娃娃的臉蛋兒。再來，在你想要創造出立體感覺的地方，把棉紙一小片一小片地緊貼在一起，便會產生出你要的效果了喲！

5 我們也可以把棉紙弄得縐縐的或是捲成一條一條。然後，把捲成條狀的棉紙剪成適當的長度，一條靠著一條，貼在畫上面。

6 重複前面的步驟來做火車的輪子，但是這次棉紙可要捲得長一些些喔！然後盤成一圈一圈的，黏貼在適當的地方。

7 最後，我們用加水稀釋過的萬能白膠塗過整張畫。等乾了以後，再用耐久的黑色麥克筆來修飾細部。

用壓克力板*和蛋彩畫出的登山裝備

我們可以用畫筆握柄的尖頭、棒針、剪刀的尖端等等，來處理線條。

我們也可以變化表面的圖形，來產生對比喲！

在黑色背景下，白色看起來最清楚了，但只要是在透明壓克力板上看得見的顏色，都可以用。

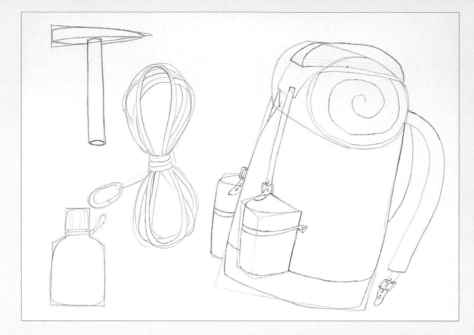

1 在這個技巧當中，我們選了幾個最能代表登山健行這個主題的物體。先畫出物體的外形，然後把草圖畫好。

畫材和技巧

為了讓蛋彩顏料能附著在壓克力板上，必須先把我們手指頭碰觸壓克力板表面產生的油汙清理乾淨喔！

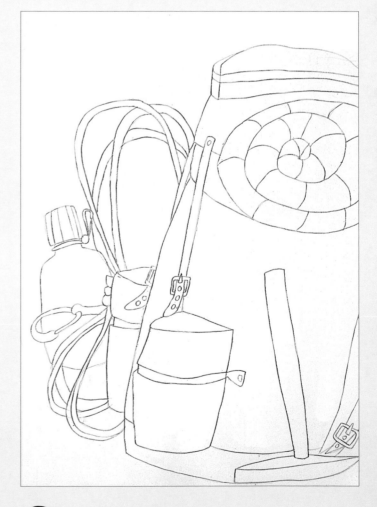

2 構圖。

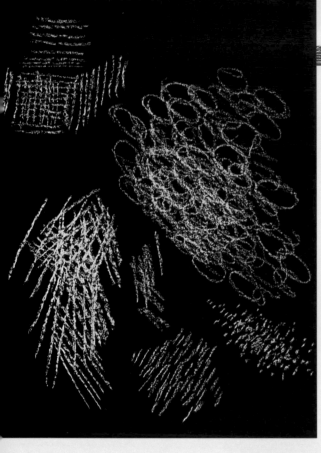

3 為了使物體產生立體的感覺，在這裡我們要使用紋路的技巧。先用白色色鉛筆在一張黑色紙板上試試看各種不同的紋路圖形。

4 然後，在乾淨的壓克力板上，塗上一層厚厚的黑色蛋彩顏料。

5 等顏料乾了以後，再用白色粉筆輕輕地在上面描出圖案來。如果不小心畫錯了，沒關係！粉筆是很容易修改的。

6 記住喔！我們是用底片上的影像在畫畫。這表示說，當我們在創造立體感覺的時候，把明暗顛倒了：每一個我們塗抹過的地方都會變成白色的唷！或者我們也可以想成不是在表示陰影部分的明暗，而是在使最光亮的部分 * 變得明亮一些。

詞彙說明

構圖：使圖畫中的物體看起來令人愉快的安排。

草圖：大概畫出物體的形狀和基本構圖。

紋路：物體表面看起來或摸起來有縐摺、平滑、粗糙等等感覺的構造。

色調：某個特定顏色的不同色度或濃淡。它可以是明暗上的不同（淺藍色、暗藍色）、深淺上的不同（淺黃色、深黃色），甚至是混合了不同顏色的結果（黃綠色、綠藍色）。

立體感：在畫裡表現出來的物體體積。

陰影部分：在一幅畫裡，用深色調著色的部分，會使物體看起來比較暗或不明亮。

保護膠：一種樹脂，用來防止畫的表面被弄髒了或是因為溼氣受到損壞。

明暗：在一幅畫裡，用色調的濃淡創造出三度空間效果的方法。

濃淡：顏色逐漸從暗色調變淺，從淺色調變暗也是。

稀釋：把有顏色的物質和酒精、水或松節油等等的溶劑混合，使有顏色的物質變稀。

松節油：從松樹汁蒸餾出來的無色液體，畫家用它來稀釋顏料。注意喔！它是有毒的，所以儘量不要讓它接觸到皮膚。它的揮發物會刺激眼睛、鼻子和喉嚨。

比例：在一幅畫裡，某個物體相對於其它部分的大小。

輪廓：在一幅畫裡，由線條界定出的物體形狀或是外形。

孔板：把紙板一塊塊從圖上剪下來，使要著色的地方透穿。

蛋彩：一種水彩，由蛋黃和一種類似的黏著材料組成的。

拼貼畫：把一塊塊不同的材料貼在單一背景上做成的畫。

壓克力板：堅硬的塑膠材料製成的薄板。

最光亮的部分：在一幅畫裡，用比較少的顏色或是根本不著色表現出來的物體反光部分。

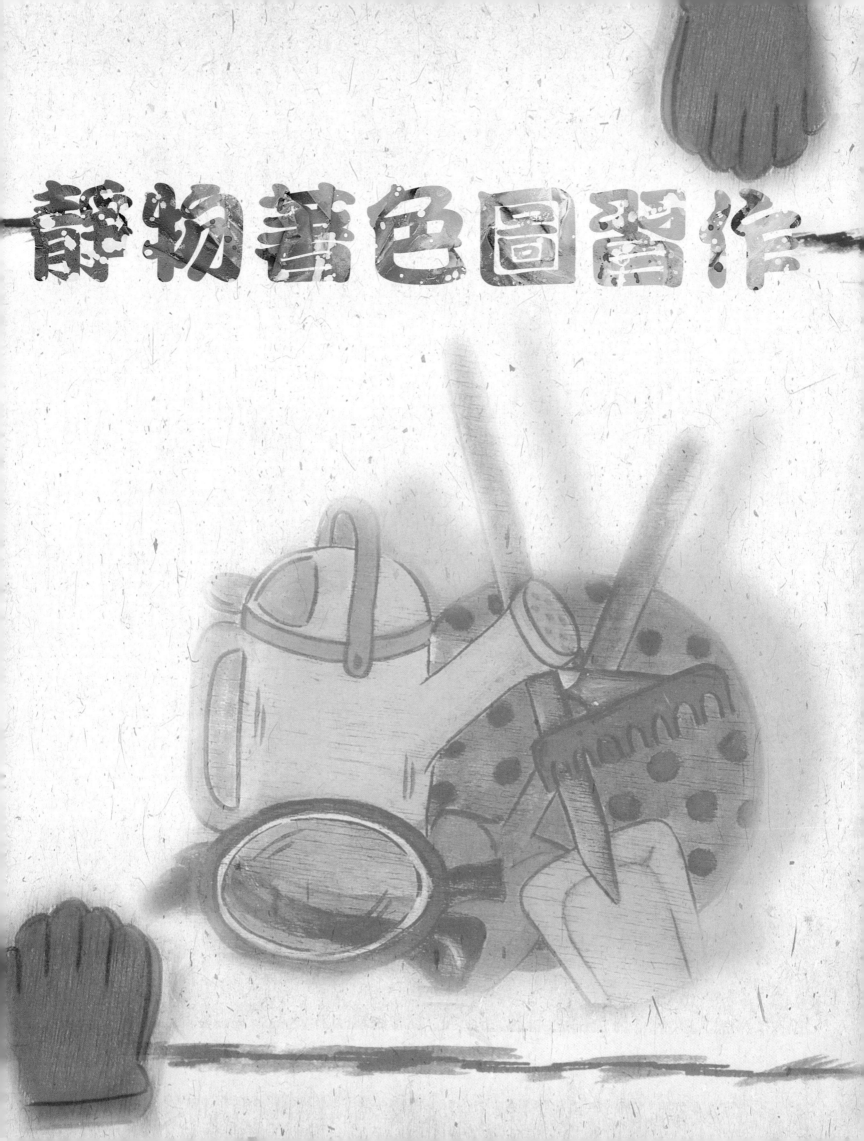

静物著色圖習作

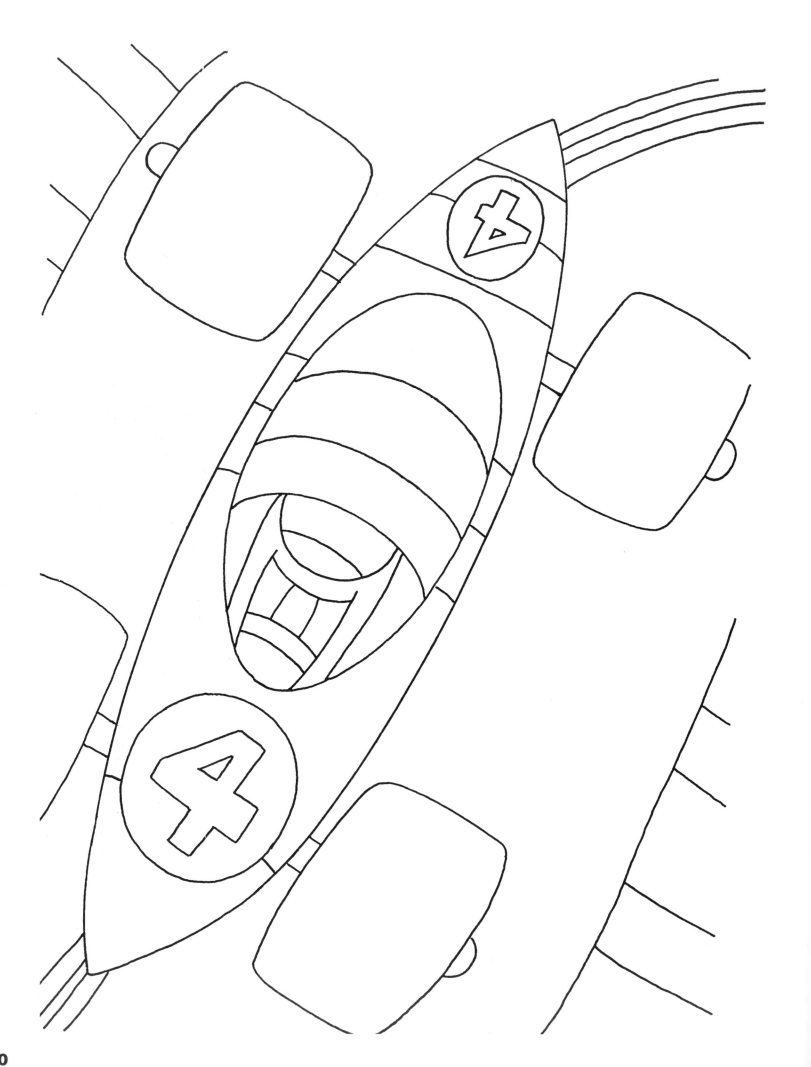

51

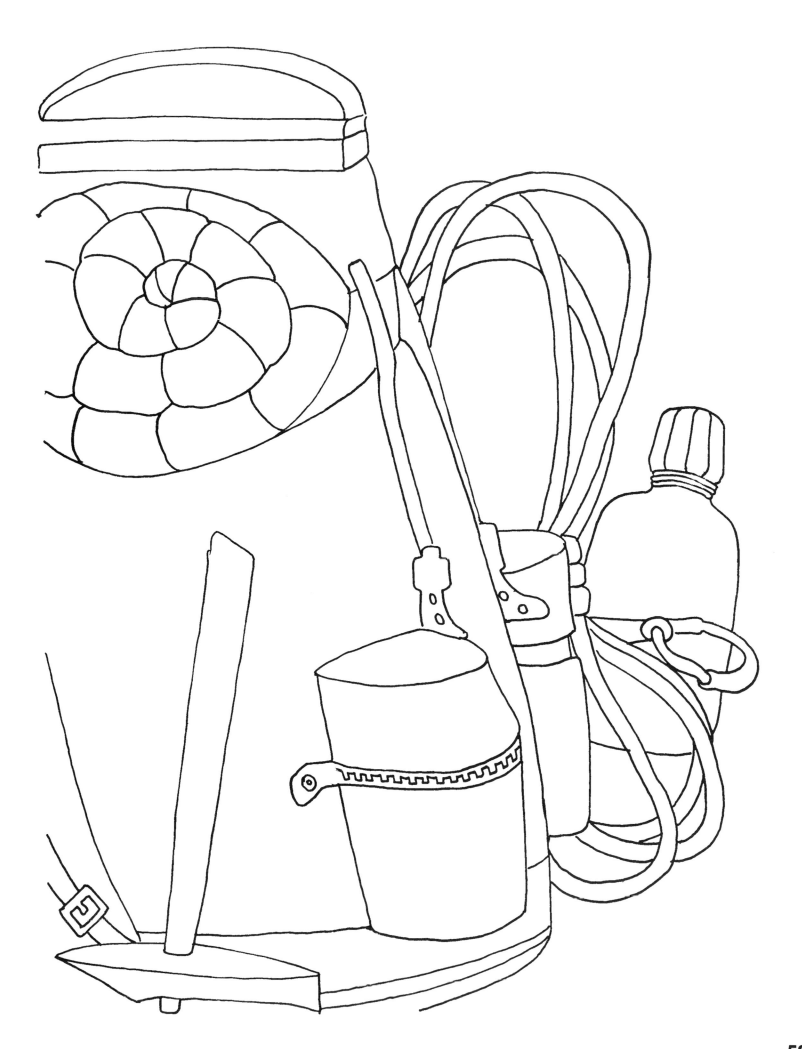

榮　獲

行政院新聞局第四屆人文類「小太陽獎」

文建會「好書大家讀」年度最佳少年兒童讀物暨優良好書推薦

兒童文學叢書・藝術家系列（第一輯）（第二輯）

讓您的孩子貼近藝術大師的創作心靈

名作家簡宛女士主編，全系列精裝彩印
收錄大師重要代表作，圖說深入解析作品特色
是孩子最佳的藝術啟蒙讀物
亦可作為畫冊收藏

藝術家系列